Nicolò Paganini

CAPRICCIO PER VIOLINO SOLO

M.S. 54

Edizione critica di | *Critical edition by* Italo Vescovo

RICORDI

Traduzione di | *Translation by* Avery Gosfield

NR 141999
ISMN 979-0-041-41999-2

Sommario | Contents

RINGRAZIAMENTI · Desidero ringraziare la Österreichische Nationalbibliothek a Vienna per avermi concesso l'autorizzazione a riprodurre l'immagine del manoscritto paganiniano e il violinista Marco Rogliano per la preziosa consulenza musicale.

ACKNOWLEDGEMENTS · I would like to thank the Österreichische Nationalbibliothek of Vienna for having granted me the authorisation to reproduce the images taken from their collection of Paganini manuscripts and the violinist Marco Rogliano for his precious musical advice.

INTRODUZIONE

Come documenta il nuovo *Catalogo tematico*,[1] le opere per violino solo di Nicolò Paganini, costituendo un *corpus* a sé stante, rappresentano un aspetto particolarmente significativo della sua produzione musicale. Tale produzione, che vede al centro i *24 Capricci* op. 1 pubblicati da Ricordi nel 1820, comprende composizioni di vario carattere e struttura e scritte in momenti diversi, quali *Inno patriottico*, *Tema variato* e *Sonata a violin solo* appartenenti al periodo giovanile (probabilmente prima del 1805),[2] la *Sonata a violino solo* (nota anche come *Merveille de Paganini*) scritta nel periodo lucchese (1805-1809) e dedicata alla principessa Elisa Baciocchi, e altri brani appartenenti a un periodo successivo quali *Capriccio a violino solo* del 1821 su "In cor più non mi sento", *Capriccio per violino solo*, un singolare brano vergato su quattro pentagrammi scritto a Vienna nel 1828, le variazioni su *God Save The King* del 1829 e il *Caprice d'adieu* del 1833.

Di seguito l'elenco delle composizioni per violino solo secondo il CTA:

M.S. 6	*Sonata a violino solo (Merveille de Paganini)*
M.S. 25	*24 Capricci* op. 1
M.S. 44	*Capriccio a violino solo* su "In cor più non mi sento"
M.S. 54	*Capriccio*[3]
M.S. 56	*God Save The King*
M.S. 68	*Caprice d'adieu*
M.S. 80	*[Valtz]*
M.S. 81	*Inno patriottico*
M.S. 82	*Tema variato*
M.S. 83	*Sonata a violin solo*
M.S. 136	*Contradanze inglesi*
M.S. 138	*Quattro studi*

In sostanza, se si escludono i *24 Capricci*, che costituiscono la parte indiscutibilmente più importante – la più studiata ed eseguita – e qualche altro titolo, il resto delle composizioni per violino solo non ha registrato nel tempo un particolare interesse da parte degli studiosi (e degli interpreti) del grande violinista, che hanno trascurato, di fatto, alcune pagine musicalmente interessanti, che per carattere e originalità meriterebbero un maggiore approfondimento critico. Tra queste la *Sonata a violino solo* M.S. 6 (*Merveille de Paganini*), il *Caprice d'adieu* M.S. 68, il *Capriccio per violino solo* su "In cor più non mi sento" M.S. 44 e *Tema variato* M.S. 82, pubblicate recentemente in edizione critica, a cura dello scrivente.[4]

La presente edizione critica, che si inserisce in tale indagine sulle opere violinistiche "minori", prende in esame il *Capriccio per violino solo* M.S. 54 che viene qui pubblicato per la prima volta, completando in questo modo il variegato quadro di insieme delle opere per violino solo del grande musicista genovese che comprende sia capolavori (*24 Capricci* op. 1), sia piccole composizioni, come il *Valtz* M.S. 80 e il *Capriccio per violino solo* in questione.

Il *Capriccio per violino solo* M.S. 54, datato 1828 e dedicato a «S.E. il Signor Conte Maurizio Dietrichstein»,[5] è un'opera davvero singolare, non solo per la disposizione del testo musicale, vergato su quattro pentagrammi (uno per ogni corda), ma anche per la sua concezione musicale, che lo distin-

---

1. *Catalogo tematico delle musiche di Niccolò Paganini. Aggiornamento*. A cura di Maria Rosa Moretti e Anna Sorrento, introduzione e appendici a cura di Maria Rosa Moretti, Milano, Associazione Culturale Musica con le Ali, 2018. A questo catalogo, d'ora in avanti CTA, si riferisce la sigla M.S.

2. Delle tre composizioni giunte in copia non autografa, *Inno patriottico* potrebbe non essere per violino solo, ma verosimilmente una composizione per violino e chitarra, dato che sul frontespizio, in basso a destra, si legge «violino», a indicare che si tratta della parte relativa a quest'ultimo strumento. Cfr. MORETTI e SORRENTO, *Catalogo tematico delle musiche di Niccolò Paganini*, Genova, Comune di Genova, 1982, p. 255; CTA, pp. 256-257.

3. Sia il CTA sia il precedente *Catalogo tematico* riportano questo brano come *Capriccio* M.S. 54. La presente edizione adotta la titolazione presente sull'autografo paganiniano.

4. Rispettivamente nel 2016, 2017, 2018 e 2019 per i tipi di Casa Ricordi.

5. «[…] Uomo dalla personalità simpatica, abile compositore […] fu strettamente legato alla vita culturale viennese. La sua generosità era proverbiale e la sua casa era sempre aperta a poeti e musicisti. Ne erano frequentatori Müller, Beethoven e Schubert, il quale gli dedicò il *Re degli Elfi*. […] Dietrichstein aiutò molto Paganini nell'organizzare i concerti tenuti a Vienna nel 1829». Cfr. PHILIPPE BORER, *Foglio d'album*, «Quaderni dell'Istituto di studi paganiniani», VII (1993), pp. 37-41: 37. Traduzione di Edward Neill.

gue nettamente rispetto agli altri *Capricci*. Il concetto di polifonia, peraltro presente e variamente declinato in molti dei suoi brani per violino solo, viene in questa composizione portato all'estremo, almeno sul piano concettuale e grafico. La sua breve struttura (21 misure articolate in tre frasi di 4 e una di 3, seguite da una coda di 6) ricorda una sorta di corale a quattro parti realizzato in partitura. Si caratterizza per una scrittura cantabile ed elegante, dove le quattro parti si muovono polifonicamente dando vita a un tessuto armonico molto raffinato.

Come si legge nel *Catalogo tematico*, questo *Capriccio per violino solo* va inquadrato in quella produzione di dediche musicali di poche battute che Paganini era solito omaggiare ad amici, colleghi e personalità incontrate nei suoi viaggi:

> Simili a questa composizione sono alcuni «fogli d'album» scritti da Paganini e dedicati a diverse personalità.

> *Lipsia, 16 Ottobre 1829. Limburgh Al Padre di quella che suona il Pianoforte*. Un foglio in possesso della Library of Congress di Washington.

> *Halberstadt, li 21 Ott.ᵉ 1829. Preludio | L'Egregio Sig. Maestro Ferdinand Baake | è pregato di ricordarsi del suo amico Nicolò Paganini*. [...]. Foglio d'album di sole quattro battute [...]. Si ignora l'attuale collocazione.

> E. Neill, (*Nicolò Paganini, la vita attraverso...*, p. 410) segnala un preludio in Sol maggiore dedicato al borgomastro Francke e datato Magdeburg, 25 ottobre 1829. Si ignora la attuale collocazione.

> *Capriccio Paganini Violino, Paris 24 Mai 1832*. Il manoscritto [...] è segnalato in possesso del conte senatore Giovanni Treccani degli Alfieri di Milano [...].[6]

---

6. Moretti e Sorrento, *Catalogo tematico* cit., p. 174.

Nel CTA si registra la presenza di un altro piccolo brano così descritto:

> *Andante* [Capriccio] per violino [...] appartenente all'Album di Fanny Hensel. La musica si svolge nell'ambito di due righe (8 bb.), e sotto di essa si legge *Berlino li 13. Maggio 1829 | Nicolò Paganini*.[7]

Tra questi *cadeaux*, il *Capriccio* datato «Paris 24 Mai 1832», del quale si dà descrizione nelle Fonti, è quello che presenta una parziale affinità col *Capriccio per violino solo* M.S. 54. Questo piccolo brano di sole otto misure, pubblicato nel 1977 a cura di Paul Bulatoff,[8] reca infatti sia lo stesso tema (prime quattro battute) sia la stessa indicazione di agogica («Maestoso»). Nell'articolo di Borer relativo al *Capriccio per violino solo*, si fa riferimento anche a una singolare prassi esecutiva, qui di seguito riportata a puro titolo di curiosità:

> Per quanto riguarda la tecnica esecutiva, bisogna mettere a paragone il *Capriccio per Violino solo* colla *Sonata a Violino e Viola* (M.S. 108) dello stesso Paganini. Nel frontespizio della parte di violino della *Sonata a Violino e Viola* si legge la seguente indicazione: «Da suonarsi col crine dell'arco Sopra le corde | l'asta, ossia arco sotto al Violino come [...]». Al posto dei punti di sospensione, c'è la figura di un violino inserito fra i crini e la bacchetta dell'arco.[9]

---

7. CTA, p. 132.

8. Paganini-Bulatoff, *Capriccio a 4 corde* per violino solo in 24 esercizi, Milano, Curci, 1977.

9. Borer, *Foglio d'album* cit., p. 40. Cfr. anche Moretti e Sorrento, *Catalogo tematico* cit., p. 284 e CTA, p. 161.

FONTI

Autografo

L'autografo del *Capriccio per violino solo* M.S. 54, custodito presso la Österreichische Nationalbibliothek a Vienna,[10] si compone di un foglio (due carte di cm 20,6 × 17) con dieci pentagrammi. A c. 1*r*, in alto, si legge: «Capriccio per Violino solo | di Paganini | Umigliato a S. E. il Sig.r Conte | Maurizio Dietrichstein», segue la musica che occupa le cc. 1-2*r*; in basso a sinistra timbro della Biblioteca «Bibliotheca Palat. | Vindobonensis». A c. 2*r*, alla fine del brano, si legge: «Vienna, li 9 Agosto 1828». C. 2*v* è invece vuota e reca solo un altro timbro della Biblioteca in basso: «Musiksammlung | Österr. | Nationalbibliothek», seguito dalla collocazione «18718» (stesso timbro e collocazione sono presenti anche a c. 1*v*). La scrittura musicale risulta particolarmente nitida e precisa, con la disposizione del testo su due sistemi per pagina.

Edizioni

PHILIPPE BORER, *Foglio d'album*, «Quaderni dell'Istituto di studi paganiniani», VII (1993), pp. 37-41: 38.

La prima edizione del *Capriccio per violino solo* M.S. 54 si deve a Philippe Borer, che l'ha pubblicato a p. 38 del saggio qui sopra citato (**QISP** nelle Note). La trascrizione su quattro pentagrammi rispecchia sostanzialmente l'autografo.

Edizione Curci (1977), a cura di Paul Bulatoff. Lastra: 10030.

Come detto, si tratta di un'edizione basata su un'altra fonte autografa realizzata successivamente (1832), che ha in comune, con il *Capriccio per violino solo* M.S. 54, solo le prime quattro battute. La pubblicazione comprende anche il facsimile dell'autografo e una brevissima prefazione di Susan Bulatoff.

---

10. Collocazione: A-Wn, mus HS 18718.

CRITERI DELL'EDIZIONE

La presente edizione è basata sull'autografo del *Capriccio per violino solo* M.S. 54 custodito presso la Österreichische Nationalbibliothek a Vienna e collazionato principalmente con l'edizione a cura di Philippe Borer (cfr. Fonti).

Le scritte autografe di carattere musicale sono state conservate e riportate in corsivo.

Gli interventi del revisore sono riportati tra parentesi quadre.

L'edizione riporta il *Capriccio per violino solo* disposto su un solo rigo, al fine di renderlo di più facile lettura.

ABBREVIAZIONI

A autografo
EC Milano, Curci, 1977.
QISP Philippe Borer, *Foglio d'album*, «Quaderni dell'Istituto di studi paganiniani», VII (1993), pp. 37-41: 38.

b./bb. battuta/e
I, II ecc. primo, secondo ecc. tempo della battuta

Le note musicali sono citate nelle Note critiche seguendo il sistema sotto esposto:

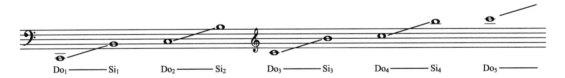

Il segno «-» posto tra due o tre note indica la successione melodica dei suoni.

INTRODUCTION

As can be seen in the revised *Catalogo tematico* (Thematic Catalogue),[1] Nicolò Paganini's works for solo violin, which constitute a *corpus* in themselves, are one of the most significant components of his musical production. These works, with the *24 Capricci* op. 1 published by Ricordi in 1820 at their core, are made up of compositions that encompass a number of contrasting characters and structures and were written during different periods of Paganini's life, such as the *Inno patriottico*, *Tema variato* and *Sonata a violin solo* (all probably written before 1805)[2] belonging to his juvenile period, as well as the *Sonata a violino solo* (also known as *Merveille de Paganini*), dedicated to Princess Elisa Baciocchi, that was composed during his stay in Lucca (1805-1809). The *Capriccio a violino solo* on "In cor più non mi sento", written in 1821, like the singular *Capriccio per violino solo* (notated on an unusual 4-line stave) composed in Vienna in 1828, the variations on *God Save the King* (1829) and the *Caprice d'adieu* (1833) all date from a later period.

Here is the list of compositions for solo violin according to the revised Thematic Catalogue (TC):

M.S. 6	*Sonata a violino solo* (*Merveille de Paganini*)
M.S. 25	*24 Capricci* op. 1
M.S. 44	*Capriccio a violino solo* su "In cor più non mi sento"
M.S. 54	*Capriccio*[3]
M.S. 56	*God Save The King*
M.S. 68	*Caprice d'adieu*
M.S. 80	[*Valtz*]
M.S. 81	*Inno patriottico*
M.S. 82	*Tema variato*
M.S. 83	*Sonata a violin solo*
M.S. 136	*Contradanze inglesi*
M.S. 138	*Quattro studi*

In essence, besides the *24 Capricci*, without a doubt the most important, the most studied and the most performed of this group, and a few other compositions, none of the other works for solo violin have generated particular interest on the part of the scholars (or performers) of the works of the great violinist, to the detriment of a group of pieces that deserve greater consideration and study for their originality and distinctive character. Some examples are the *Sonata a violino solo* M.S. 6 (*Merveille de Paganini*), the *Caprice d'adieu* M.S. 68, the *Capriccio a violino solo* on "In cor più non mi sento" M.S. 44, and the *Tema variato* M.S. 82, all of which have been recently published in critical edition by the author.[4]

The present critical edition, part of a study dedicated to 'minor' violin works, takes a look at the *Capriccio per violino solo* M.S. 54 which is published here for the first time, thus completing the multi-faceted overview of the great Genoese musician's works for solo violin, made up of both masterworks, like the *24 Capricci* op. 1, and small compositions, such as the *Valtz* M.S. 80 and the *Capriccio per violino solo* featured here.

The *Capriccio per violino solo* M.S. 54, dated 1828, dedicated to "S.E. il Signor Conte Maurizio Dietrichstein",[5] is a truly unique work, not only for the way in which the music is organised (notated on

---

1. *Catalogo tematico delle musiche di Niccolò Paganini. Aggiornamento*, edited by Maria Rosa Moretti and Anna Sorrento, introduction and appendixes by Maria Rosa Moretti, Milano, Associazione Culturale Musica con le Ali, 2018. All of the manuscript sigla used here are taken from this catalogue, henceforth referred to as TC.

2. Of the three compositions that have come down to us in non-autograph copies, the *Inno patriottico* could conceivably be a composition for violin and guitar rather than one for violin alone, given that on the lower right part of the frontispiece, the word "violino" can be seen, indicating that we are dealing with only the part relative to that instrument rather than a complete piece. See: MORETTI and SORRENTO, *Catalogo tematico delle musiche di Niccolò Paganini*, Genova, Comune di Genova, 1982, p. 255; TC, pp. 256-257

3. Both the TC and the earlier *Catalogo tematico* list this piece as *Capriccio* M.S. 54. This edition opts for the title as reported in Paganini's autograph manuscript.

4. In 2016, 2017, 2018 and 2019 respectively, for the presses of Ricordi.

5. "[...] A man with a likeable personality, an able composer [...] he had close ties to the Viennese cultural world. His generosity was legendary, and his house was always open to poets and musicians. Müller, Beethoven and Schubert were frequent visitors, with the latter dedicating his *Erlkönig* to him, [...] Dietrichstein aided Paganini a great deal in organising the concerts he held in Vienna in 1829". See: PHILIPPE BORER, *Foglio d'album*, "Quaderni dell'Istituto di studi paganiniani", VII (1993), pp. 37-41: 37. Translation by Edward Neill.

four staves, one for each string) but also because of the way in which it was conceived musically, which clearly distinguishes it from the other *Capricci*. The concept of polyphony, which is, moreover, present and expressed in various ways in many of his violin works, is brought to an extreme level, at least in conceptual and visual terms, in this composition. Its brief structure (21 measures grouped into three phrases of four measures and one of three, followed by a six-bar coda) is reminiscent of a kind of four-part chorale written in score. It is characterised by its lyrical and elegant writing style, where the four voices move in polyphonic fashion, giving birth to an extremely refined harmonic texture.

As can be seen in the *Thematic Catalogue*, this *Capriccio per violino solo* should be considered as part of the group of short musical dedications that Paganini was in the habit of giving away to friends, colleagues and the personalities he met during his travels:

> There are a few other "album leaves" similar to this composition composed by Paganini and dedicated to various figures.
>
> *Lipsia, 16 October 1829. Limburgh To the father of the girl/woman who plays piano.* A folio owned by the Library of Congress, Washington.
>
> *Halberstadt, 21 Oct. 1829. Prelude | Dear Mr. Maestro Ferdinand Baake | is asked to be reminded of his friend Nicolò Paganini [...].* Leaf from an album containing only four measures, [...]. Current location unknown.
>
> E. Neill, (*Nicolò Paganini, la vita attraverso...*, p. 410) mentions a prelude in G major dedicated to burgomaster Francke dated Magdeburg, October 25 1829. Current location unknown.
>
> *Capriccio Paganini Violin, Paris 24 Mai 1832.* The manuscript [...] was reported to be in the possession of Count and Senator Giovanni Treccani degli Alfieri of Milan [...].[6]

In the TC, the existence of another small work, described thus, is noted:

> *Andante* [Capriccio] for violin [...] part of Fanny Hensel's album. The musical part takes up two lines (8 bb.), with the words *Berlin 13. May 1829 | Nicolò Paganini* written below.[7]

Among these *cadeaux*, there is a *Capriccio*, dated "Paris 24 Mai 1832" that, from how it is described in the sources, has some traits in common with the *Capriccio per violino solo* M.S. 54. This small work, only eight measures long, published in 1977 in an edition by Paul Bulatoff[8] shares with it, in fact, both the same theme (for the first four bars) and the same tempo indication ("Maestoso"). In Borer's article dedicated to the *Capriccio per violino solo*, he refers to a curious performance technique, repeated here purely for curiosity's sake:

> As far as performance technique is concerned, the *Capriccio per Violino solo* needs to be considered in comparison with Paganini's *Sonata a Violino e Viola* (M.S. 108). On the frontispiece of the violin part of his *Sonata a Violino e Viola* the following indication is written: "to be played with the hair of the bow over the strings | with the rod, that is to say the bow, under the violin in this way [...]" On the frontispiece, instead of the ellipsis seen here, there is a diagram of a violin inserted between the hairs and rod of a bow.[9]

6. MORETTI and SORRENTO, *Catalogo tematico* cit., p. 174.

7. TC, p. 132.

8. PAGANINI-BULATOFF, *Capriccio a 4 corde* per violino solo in 24 esercizi, Milano, Curci, 1977.

9. BORER, *Foglio d'album* cit., p. 40. See also: MORETTI and SORRENTO, *Catalogo tematico* cit., p. 284 and TC, p. 161.

SOURCES

Autograph

The autograph manuscript of the *Capriccio per violino solo* M.S. 54, held in the Österreichische Nationalbibliothek of Vienna,[10] is made up of one folio (two sheets of paper measuring cm 20,6 × 17) with ten staves. At the top of c. 1*r*, "Capriccio per Violino solo | di Paganini | Umigliato a S. E. il Sig.r Conte | Maurizio Dietrichstein" can be read, followed by musical notation that takes up cc. 1-2*r*; on the bottom left, the library stamp: "Bibliotheca Palat. | Vindobonensis" can be found. On c. 2*r*, at the end of the piece, is written: "Vienna, li 9 Agosto 1828". C. 2*v* is left blank, except for another library stamp at the bottom of the page: "Musiksammlung | Österr. | Nationalbibliothek", followed by the call number "18718" (the same stamp and call number can also be found on c. 1*v*). The music is written in an exceptionally clear and precise hand, arranged over two systems per page.

Modern Editions

PHILIPPE BORER, *Foglio d'album*, "Quaderni dell'Istituto di studi paganiniani", VII (1993), pp. 37-41: 38.

We owe the first edition of the *Capriccio per violino solo* M.S. 54 to Philippe Borer, who published it on p. 38 of the above-mentioned article (**QISP** in the footnotes).

The transcription on four staves essentially mirrors that of the autograph manuscript.

Curci edition (1977), edited by Paul Bulatoff. Plate: 10030.

As has already been noted, we are dealing with an edition based on another autograph source that was written later (1832) that only has the first four measures in common with the *Capriccio per violino solo* M.S. 54. The publication also includes a facsimile of the autograph and a very short preface by Susan Bulatoff.

---

10. Library siglum: A-Wn, mus HS 18718.

EDITORIAL CRITERIA

The present edition is based on the autograph manuscript of the *Capriccio per violino solo* M.S. 54 held in the Österreichische Nationalbibliothek in Vienna and is principally collated with the edition edited by Philippe Borer (see Sources).

Musical indications found in the autograph have been conserved and noted in italics.

The editor's contributions have been placed between square brackets.

The edition includes a version of the *Capriccio per violino solo* that has been notated on a single stave in order to facilitate reading.

ABBREVIATIONS

A   autograph
EC   Milan, Curci, 1977.
QISP   Philippe Borer, *Foglio d'album*, "Quaderni dell'Istituto di studi paganiniani", vii (1993), pp. 37-41: 38.

b./bb.   bar/bars
I, II etc. first, second (etc.) beat of the measure

Pitches are cited in the Critical Notes according to the system below:

A "-" sign put between two or three notes indicates a melodic succession.

Nicolò Paganini
CAPRICCIO PER VIOLINO SOLO
(M.S. 54)

Vienna li 9. agosto 1828

2

Riduzione su un solo rigo di | *One-staff reduction by* Italo Vescovo

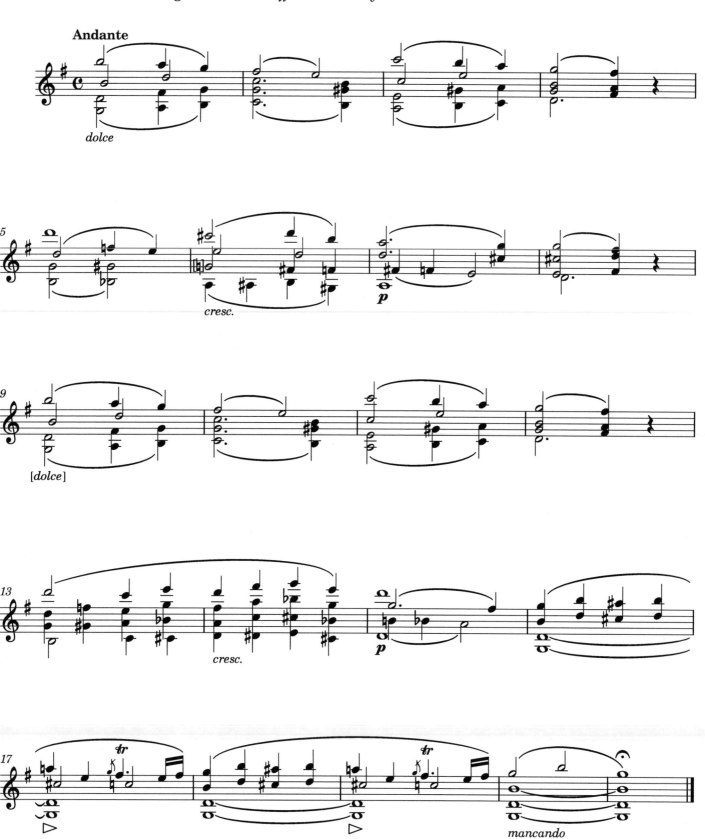

| NOTE CRITICHE | CRITICAL NOTES |

4

Tale trascrizione corrisponde in realtà con la prima stesura vergata da Paganini, che poi ha modificato.

17 I, 19 I

QISP: le forcelle sono aperte, mentre in **A** sono chiuse. In realtà non si tratta di forcelle ma di accenti chiusi posizionati chiaramente sul battere delle bb. in questione.

19 II-III

QISP: l'edizione aggiunge una legatura sopra *mi³-sol³* notina. Si tratta in realtà del taglio della notina vergato da Paganini in modo più esteso, che ha tratto in inganno il revisore.

19-21

A, QISP: le due fonti recano al rigo inferiore (4ª corda) una legatura dubbia sopra i tre *sol²*, che non è stata accolta nella presente edizione.

4

This transcription, in reality, corresponds to Paganini's first version, which he later modified.

17 I, 19 I

QISP: the accents are open, while in A they are closed and clearly positioned on the downbeat of both measures, as indicated in the present edition.

19 II-III

QISP: the edition adds a slur between the *e³* and *g³* (grace note). In reality, it was a question of the editor mistaking Paganini's longer-than-usual slashes for slurs.

19-21

A, QISP: the two sources both have a doubtful tie over the three *g²*s in the lowest staff which has not been retained in this edition.